ET VIVE
les fabulettes!

ACTES SUD JUNIOR
est dirigé par Madeleine Thoby-Le Duc

Direction artistique et conception graphique :
Isabelle Gibert

Maquette :
Guillaume Berga

© Actes Sud, 2002
ISBN 2-7427-4065-1

Loi 49-956 du 16 juillet 1949
sur les publications destinées à la jeunesse

ET VIVE
les fabulettes!

ANNE SYLVESTRE

Illustrées par Christine Leyat

ACTES SUD JUNIOR

Sommaire

Pour dire bonjour ou pas

Je dirai bonjour madame,
Je dirai bonjour monsieur
Et bonjour l'hippopotame,
Bonjour le loup aux grands yeux !

Bonjour madame la vache,
Bonjour chat, bonjour chatons,
Bonjour le phoque à moustaches,
Bonjour mouche, moucherons !

Je dirai bonjour maîtresse,
Je dirai bonjour les copains,
Bonjour madame tigresse,
Bonjour les petits lapins !

Bonjour les arbres qui bougent,
Bonjour le nuage au ciel,
Bonjour coccinelle rouge
Et bonjour les tourterelles !

J'ai dit bonjour à tout le monde,
C'est fini, je ne le dirai plus !
Je ne vois pas pourquoi tu me grondes,
Je l'ai dit, tu ne l'as pas vu !

Mais comme je veux te faire plaisir
Au revoir, ça, je veux bien le dire !

Mouchelette

Mouche mouchelette,
Moucheronnette moucheron,
Demain c'est ta fête,
Toutes les mouches danseront.
Autour du vinaigre
Et du pot de miel,
Devant la fenêtre,
Dans un beau rayon de soleil.

vive la fête

Mouche mouchelette,
Moucheronnette moucheron,
Demain c'est ta fête,
Toutes les mouches danseront.
Danseront la gigue,
La valse à l'envers,
La ronde magique
Où on doit voler de travers.

Mouche mouchelette,
Moucheronnette moucheron,
Demain c'est ta fête,
Toutes les mouches danseront.
Mais après la fête
Viendra le sommeil,
Et la mouchelette
Rêvera d'un grand pot de miel.

Mouche mouchelette,
Moucheronnette moucheron,
Demain c'est ta fête,
Toutes les mouches danseront.

Balle qui détales

Balle, balle,
Balle qui détales,
Balle reviens dans ma main !
Balle, je te tiens !

Plop, plop, plop, plop.

Balle, balle,
Balle qui détales,
Balle va taper le mur
Et tape-le dur !

Plop, plop, plop, plop.

Balle, balle,
Balle qui détales,
Balle si tu montes haut
Tu rebondis trop !

Plop, plop, plop, plop.

Balle, balle,
Balle qui détales,
Si tu cherches à te sauver
Je vais te garder !

Plop, plop, plop, plop.

Balle, balle,
Balle qui détales,
Et tu passeras la nuit
Au pied de mon lit !

Plop, plop, plop, plop.

Grand ou petit

Il y avait Alexis,
Qui était si petit
Qu'il n'y avait que sa tête
Qui dépassait de ses chaussettes !
Et il y avait Fernand,
Qui était tellement grand
Qu'au fond de sa casquette
On voyait des nuages blancs !

Alexis ne voyait
Que tout ce qui rampait,
Limace ou ver de terre,
Tortue, musaraigne, vipère.
Mais Fernand, quant à lui,
Ne voyait que les nids,
Tout ce qui vit dans l'air,
Oiseaux de jour, oiseaux de nuit.

Un beau jour Alexis
A dit à son ami :
Prends-moi sur tes épaules,
Ce que tu vois doit être drôle !

Mais une fois là-haut
Sa tête tournait trop
Holà ! je dégringole,
Tu peux les garder tes oiseaux !

Fernand l'a reposé,
Il s'est agenouillé :
Montre-moi les merveilles
Dont tu me rebats les oreilles.
Ah non, c'est dégoûtant !
Dit-il en remontant,
Il faudra qu'on me paye
Pour redescendre avant longtemps.

Il y avait Alexis,
Qui était si petit
Et qui était si bête
Qu'il ne voyait que ses chaussettes,
Et il y avait Fernand,
Qui était tellement grand,
Qu'en mettant sa casquette
Il croyait être intelligent !
Vraiment.

13

Pour manger un œuf à la coque

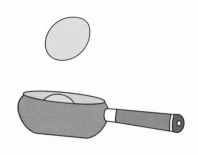

Mon œuf est tout neuf !
Mon œuf est tout neuf !
Je le pose pointe en haut,
Crac ! un coup de mon couteau,
Je lui découpe un chapeau !
Ho ho, ho ho, ho ho !

Il est beau, tout blanc, tout jaune,
Un peu de blanc, un peu de jaune,
Un peu de blanc, beaucoup de jaune,
Beaucoup de blanc, très peu de jaune,
Rien que du blanc et plus de jaune !
Ho ho, ho ho, ho ho !

14

Mon œuf est tout neuf !
Mon œuf est tout neuf !
Je le pose pointe en bas
Et j'appuie un peu, comme ça,
La coquille est toute en tas !
Ha ha, ha ha, ha ha !

Le toboggan

Dans le square, dans le square,
Y a un toboggan maman,
Dans le square, dans le square,
Y a un toboggan !
Pour y croire, pour y croire,
Faut être devant maman,
Pour y croire, pour y croire,
Faut être devant !

On y glisse, on y glisse,
C'est très amusant maman,
On y glisse, on y glisse,
C'est très amusant !
Nos bloudjinnses, nos bloudjinnses,
Durent pas longtemps maman,
Nos bloudjinnses, nos bloudjinnses,
Durent pas longtemps !

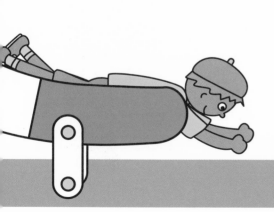

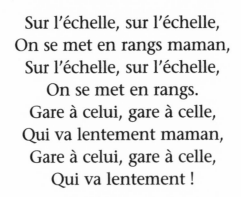

Sur l'échelle, sur l'échelle,
On se met en rangs maman,
Sur l'échelle, sur l'échelle,
On se met en rangs.
Gare à celui, gare à celle,
Qui va lentement maman,
Gare à celui, gare à celle,
Qui va lentement !

Et en trombe, et en trombe,
On fonce dedans maman,
Et en trombe, et en trombe,
On fonce dedans.
Si on tombe, si on tombe,
On serre les dents maman,
Si on tombe, si on tombe,
On serre les dents !

Les plus braves, les plus braves
Vont tête en avant maman,
Les plus braves, les plus braves
Vont tête en avant.
Mais ils savent, mais ils savent
Tomber en roulant maman,
Mais ils savent, mais ils savent
Tomber en roulant !

Les histoires, les histoires,
C'est moins amusant maman,
Les histoires, les histoires,
C'est moins amusant,
Que le square, que le square,
Et son toboggan maman
Que le square, que le square,
Et son toboggan !

Berceuse pour une pomme

Pomme, pomme, dormez-vous ?
Pomme, pomme, dormez-vous ?
Pomme rouge
Rien ne bouge,
Pomme d'api
Y a plus de bruit.
Hé, hé, dit la pomme,
Pourquoi voulez-vous que je dorme ?

Pomme, pomme, rêvez-vous ?
Pomme, pomme, rêvez-vous ?
Pomme blanche
C'est dimanche,
Pomme d'api
Y a plus de bruit.
Ho, ho, si je rêve,
Comment voulez-vous que je me lève ?

Pomme, pomme, riez-vous ?
Pomme, pomme, riez-vous ?
Pomme verte
Bouche ouverte,
Pomme d'api
Y a plus de bruit.
Hum, hum, dit la pomme,
Mais je peux rire dans mon somme ?

Pomme, pomme, dites-moi
Pomme, pomme, dites-moi
Pomme d'or
Puisque tout dort,
Pomme d'api
Qui fait ce bruit ?
C'est moi, dit la pomme
Mais dis, tu veux bien que je dorme ?

Pour être sage en auto

Une auto verte, une auto bleue,
Une auto rouge ou deux,
Une auto grise, une auto blanche
Qui s'est mise en dimanche.

Oh ! papa, mets ton clignoton,
Tonton tontaine et tonton,
Mais ça s'appelle un clignotant,
Tant pis, tant pis, maman !

Un autobus, un autocar
Qui allume ses phares,
Un camion bleu plein de cochons,
Un camion de bonbons.

Une patinette et un vélo
Sur une deux-chevaux,
Une poupée qui fait coucou,
Un enfant à genoux.

Un grand camion plein de yaourts,
S'il en perdait en route,
Si tu fais boire ton auto
J'aurai un esquimau ?

Une auto bleue, une auto verte,
Et vive les découvertes !
Une auto blanche, une auto grise,
N'oublie pas ta valise.

Histoire de vélo

Pierrot avait un vélo
Qu'il portait sur son dos,
Violette et sa bicyclette
Se faisaient la tête.

Pourquoi l'un et pourquoi l'autre,
Pourquoi blanc et pourquoi jaune,
Pourquoi rouge, pourquoi noir ?
Comment naissent les histoires ?

Jeanne avait une bécane
Tous les jours en panne,
Ours et son vélo de course
Étaient à leurs trousses.

Léon avait un guidon
Qui tournait en rond,
Léonard avait un phare,
Un anti-brouillard.

Cette histoire de roulettes
Est vraiment très bête,
Cette histoire de vélo
Ne roule pas haut !

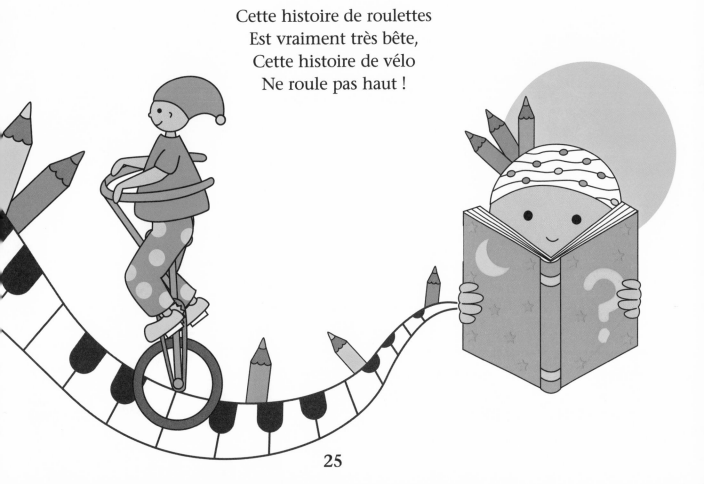

Les yaourts à tout

Y a des ya-ya
Y a des ya-ou
Y a des yaourts à tout !

Y a des yaourts à la fraise,
On les mange bien à l'aise,
Des yaourts au chocolat,
Jusqu'ici ça va.
Des yaourts à la groseille,
On s'en met jusqu'aux oreilles,
Et puis des yaourts aussi
Au lait de brebis.

Y a des yaourts à la pêche
Et d'autres aux noyaux de pêche,
Y a des yaourts au brugnon,
Nèfle et potiron.
Des yaourts aux fruits sauvages,
Ceux qui vous mordent au passage,
D'autres aux fruits du verger
Qui sont sans danger.

Des yaourts à la tulipe
Qui sont sûrement antigrippe,
Et des yaourts aux cailloux
Qui font mal aux genoux.
Y a des yaourts à la sauge
Qui sont bons pour le pied gauche,
D'autres à la tête de veau
C'est pour le cerveau.

Des yaourts aux vers de terre
Qu'on mange avec un lance-pierres,
À la bave d'escargot,
C'est pour les costauds.
Des yaourts aux crottes de bique
Qui éloignent les moustiques,
Des yaourts au pipi de chat
Contre le tabac.

Et même, en cherchant bien,
On trouve des yaourts à rien !

Pour dessiner un bonhomme

Pour dessiner un bonhomme,
On fait d'abord un rond comme…
Comme une pomme,
Comme une pomme !
Puis un autre rond plus bas
Et deux barres pour les bras,
Avec plein, plein, plein de doigts
Comme une fleur, tu vois !
Avec plein, plein, plein de doigts
Comme une fleur, encore une fois !

Puis pour lui faire des jambes.
Il ne faut pas que la main tremble
Sinon, il tombe,
Sinon, il tombe !
Il manque encore les oreilles.
On fait bien les deux pareilles,
Avec plein, plein de cheveux,
Une bouche et deux yeux !
Avec plein, plein de cheveux
Et puis le nez, bien au milieu !

Mais pour dessiner maman,
On s'y prend tout autrement !

Colle ton bonhomme

La p'tite maison tout en cochon

La p'tite maison
Tout en cochon
A des fenêtres en saucisson.
La p'tite maison
Tout en cochon
A une porte de jambon.

Voyez le toit
En pâté de foie,
La mezzanine
En galantine,
La cheminée
En p'tit salé,
Et le perron
Fait de lardons.

Les lits sont doux,
Tout en saindoux.
Et la carpette ?
En crépinette !
Tous les coussins
Sont en boudin,
Les dessus-de-lits
En salami.

C'EST BON !

Comptine marine

C'est une comptine,
Comptine marine,
C'est une comptine en bois,
Flotte tout ce qui se voit.

Ainsi font, ainsi font, ainsi font tous les poissons.

Si c'est toi le poisson-chat,
Reste là, reste là !
Si c'est toi le poisson-chat,
Sois dans cette vague-là !

C'est une comptine,
Comptine marine,
C'est une comptine en plomb,
Ce qui est lourd va dans le fond !

Ainsi font, ainsi font, ainsi font tous les poissons.

Si c'est toi le poisson-scie,
Reste ici, reste ici !
Si c'est toi le poisson-scie,
Sois dans cette vague-ci !

C'est une comptine,
Comptine marine,
C'est une comptine en maille,
Tout ce qui nage a des écailles.

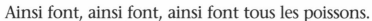

Ainsi font, ainsi font, ainsi font tous les poissons.

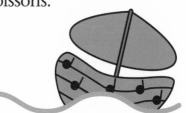

Si c'est toi le cachalot,
Reste en haut, reste en haut !
Si c'est toi le cachalot,
Sors complètement de l'eau !

C'est une comptine,
Comptine marine,
C'est une comptine en sel,
N'en buvez pas mademoiselle !

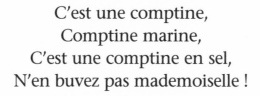

Ainsi font, ainsi font, ainsi font tous les poissons.

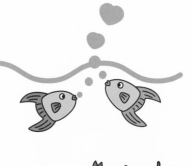

Si c'est toi le merluchon,
Reste au fond, reste au fond !
Si c'est toi le merluchon,
Nage et nous t'attraperons !

Gomme balloune

Gomme balloune, gomme balloune,
Gomm'ba, gomm'ba, gomme balloune !

Son parfum, ne vous déplaise,
Rappelle de très loin la fraise,
On la mâche, mâche tant
Qu'on met du rêve dedans.
En soufflant la bulle rose,
Faut surtout pas qu'elle explose !
Et si elle s'envolait…
On la suivrait !

Gomme balloune, gomme balloune,
Gomm'ba, gomm'ba, gomme balloune !

On irait dans les nuages,
On inventerait l'image
D'un soleil bien rose et rond,
Qui enverrait ses rayons,
Des rayons roses élastiques.
Pour jouer de la musique
Si un oiseau le crevait...
On tomberait !

Gomme balloune, gomme balloune,
Gomm'ba, gomm'ba, gomme balloune !

À sept ans

À un an, on tombe tout le temps.

Un petit peu moins à deux ans.

À trois ans, la marche est haute !

Mais à quatre ans, on la saute !

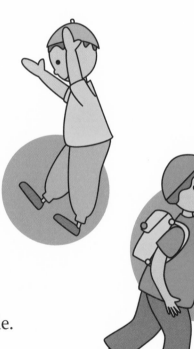

À cinq ans, on cabriole.

À six ans, la grande école.

Mais à sept ans, on perd ses dents !

On les met sous son oreiller,
Une souris vient les chercher
Et nous donne à la place
Un jouet que l'on casse.

Des nouilles

Des nouilles, des nouilles, des nouilles…
J'en veux pas, si c'est pas des nouilles,
Si c'est pas des nouilles, j'en veux pas !

Que va-t-on manger ? Des nouilles !
Mais hier déjà ? Des nouilles !
Ce matin encore ? Des nouilles !
À midi enfin ? Des nouilles !
Avec les nouilles on se débrouille,
On veut des nouilles et rien de plus !
On ne peut pas manger que des nouilles,
Il faut varier les menus.

Il y a donc les vermicelles,
Les spaghettis, les papillons,
Cheveux d'ange ou de demoiselle,
Rubans, coussins et tortillons.
Macaronis et coquillettes,
Petits plombs ou langues d'oiseaux,
Alphabet au bord de l'assiette,
Paniers roulettes et fuseaux !

Des nouilles, des nouilles, des nouilles…

Mais avant les nouilles ? Des nouilles !
Mais avec les nouilles ? Des nouilles !
Mais après les nouilles ? Des nouilles !
Alors, un gâteau ? De nouilles !
Avec les nouilles, pas de magouilles,
On veut des nouilles et rien que ça !
Des nouilles ? Alors là je cafouille,
Servir toujours le même plat !

Mais il y a les vermicelles,
Les spaghettis, les papillons,
Cheveux d'ange ou de demoiselle,
Rubans, coussins et tortillons.
Macaronis et coquillettes,
Petits plombs ou langues d'oiseaux,
Alphabet au bord de l'assiette,
Paniers roulettes et fuseaux !

Des nouilles, des nouilles, des nouilles...

Quel est votre nom ? Des nouilles !
Où habitez-vous ? Des nouilles !
Que font vos parents ? Des nouilles !
Combien gagnent-ils ? Des nouilles !
Des nouilles ? C'est une idée ça !

Des nouilles, des nouilles, des nouilles...

Reproduit et achevé d'imprimer
en septembre 2002
par l'imprimerie Pollina à Luçon
pour le compte des éditions
ACTES SUD
Le Méjan
Place Nina-Berberova
13200 Arles

Dépôt légal
1re édition : novembre 2002
N° impr. L87800
(Imprimé en France)